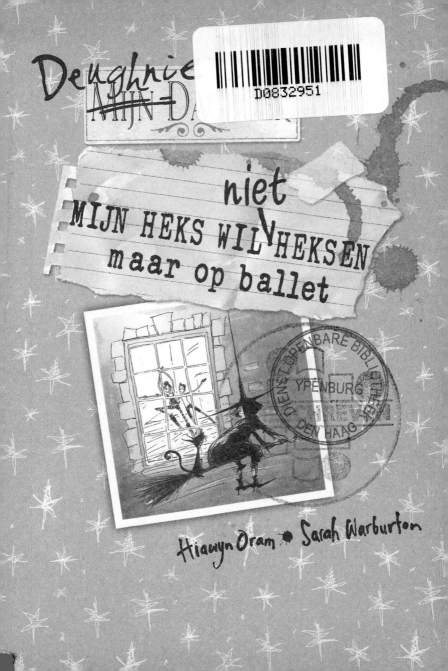

Deughnie
~~MIJN DA~~

niet
MIJN HEKS WIL HEKSEN
maar op ballet

Hiawyn Oram ✱ Sarah Warburton

WAT IK EVEN KWIJT WIL VOOR JE MIJN GEHEIME DAGBOEKEN GAAT LEZEN...

In een notendop: ze zijn GESTOLEN. Het is echt waar! Heksje Wirwar, mijn heks die niet wil heksen, heeft ze uit mijn mand gestolen. Volgens haar ging het zo:

Op een van onze uitstapjes naar de Andere Kant, waar jullie wonen, ontmoette ze een Boekentovenaar (ik heb gehoord dat jullie dat een uitgever noemen, maar ik denk nog steeds dat tovenaar een beter woord is, als je ziet hoe zo iemand steeds maar weer boeken uit het niets laat verschijnen, elke dag van de week).

In ieder geval, deze Boekentovenaar/uitgever wilde dat Wirwar een boek zou schrijven over haar avonturen aan Deze Kant. Natuurlijk had ze daar geen zin in. Ze heeft immers nooit ergens zin in, zeker niet in heksen. Ja, in winkelen en televisie kijken, dat wel. Alles wat een heks juist NIET moet doen! En het ergste is: ik krijg dan van de Geweldig Gewiekste Wicca's* op mijn kop.

De Boekentovenaar smeekte haar (blijkbaar) en bood Wirwar een levenslange voorraad schoenen aan als ze met een boek zou komen.

Dat aanbod kon Wirwar niet laten lopen. Dus kwam ze met een boek: mijn dagboek! Niet één, maar al mijn dagboeken!!!

Toen ik mijn dagboeken schreef, dacht ik natuurlijk niet dat iemand ze ooit zou lezen. Laat staan iemand van de

* de Geweldig Gewiekste Wicca's zijn hier de baas.

Andere Kant, zoals jij. Dus wil ik even iets met je
afspreken:
1. Wij zijn van Deze Kant, jij bent van de Andere Kant.
2. Tussen ons loopt de Horizon.
3. Jij kunt ons niet zien aan Deze Kant, want voor jou is de
Horizon er altijd pas een dag later. Al loop je duizend manen
lang (of langer), je loopt altijd een dag achter.
4. Wij, daarentegen, zien jou wel. Wij kunnen van Deze naar de
Andere Kant wanneer we maar willen. Dat komt door de
bezemstelen. Bezemstelen hebben geen problemen met Horizonnen
waar dan ook. Een bezemsteel (met of zonder ons erop) vliegt
zonder probleem van Deze naar de Andere Kant en weer terug.

En dat is maar goed ook! Een belangrijke taak van heksen
van Deze Kant is kinderen van de Andere Kant te beheksen! Het
is misschien wel DE belangrijkste taak! (Lees ook de 'Wat een
heks tot een echte heks maakt'-lijst achterin.)

Aan de andere kant staat er nergens, maar dan ook nergens,
dat een heks naar de Andere Kant moet gaan om vriendschap te
sluiten en te doen wat jij doet, maar dat is wel wat Wirwar doet!

En dat is nu net mijn probleem: ik ben de heksenhulp van een
heks die niet wil heksen. Dat heb ik allemaal beschreven in mijn
dagboeken. Mijn leven in het kort: alsof je je hand steekt in een
zak vol stekelvarkens!

Daarom vraag ik je: als Wirwar probeert vriendjes met jou te
worden, stuur haar dan als de wiedeweerga terug naar Deze Kant!

Alvast bedankt,

Deughniet Vloecksoecker Ramses R. xxx

Dit Dagboek is van:

Deughniet vloecksoecker Ramses R.

DEUGHNIET, DR als je haast hebt.

Adres:
Dertien Schoorstenen
Oost Kollendam, Deze Kant
Alziendoog 331 N tot WW

Telefoon:
77+3-5+1-7

Dichtstbijzijnde Andere Kantse telefoon:
Blauwe Zwerkweg
N tot ZO achter de horizon

Verjaardag:
Winderige dag 23ste Miauwmaand

Opleiding:
De Verweggistan Academie voor Heksenhulpen
12-manen stage bij de
Geweldig Gewiekste Wicca Toos Goocheldoos

Diploma's:
Heksenhulp met vergunning

Huidige baan:
Zevenjarig contract met Heksje Wironi Warwara,
Wirwar, HW als je haast hebt.

Hobby's:
Katness, schermutselen, talen.

Naaste familie:
Oom Peleus (gepensioneerde heksenhulp)
Vochtige Tochtige Bungalow
Stuntvliegende Theepottenstraat
Waanwijswier

Nacht van de Non-stop
Zwanenmeerdag

Lief dagboek,

Mijn oom Peleus (nu met pensioen maar ooit een beroemde heksenhulp) was op bezoek.

Aan hem schreef ik al die brieven over Heksje Wirwar die maar niet wil heksen!*

Hij gaf mij altijd goede raad en handige spreuken. Maar hij dacht nog steeds dat ik soms een beetje overdreef. Dus heb ik hem uitgenodigd, dan kon hij het met zijn eigen kattenogen zien.

En wat denk je? De hele tijd dat hij hier was, gedroeg die eigenwijze heks van een heks zich bijna als een echte heks!!

*lees de brieven van Deughniet

Ze droeg haar zwarte heksenkleren
(nu ja afgezien van een roze onderrok en een
bloem op haar hoed).

Ze BLEEF maar gieren,
grinniken en hinniken
terwijl ze dat normaal maar
kakofonisch gekakel vindt!!

'Niets is leuker dan een goede kako-kakel.
Het verjaagt Andere Kanters en je
Wicca-vriendinnen
weten waar je
bent, vind je ook
niet, Peleus?'
kraste ze tijdens
ons uitje
naar het
Drakenmoeras.

En toen we
vertrokken, wilde ze
ZELF op de bezemsteel vliegen,
terwijl ze normaal zo iets heeft van:
'Ik word al bezemziek als ik er alleen al
naar kijk'.

Tsja, nu is mijn lievelingsoom weg en
hij DENKT nu niet dat ik overdreef, hij
WEET het nu zeker.

Maar, Dagboek, ik overdreef
NIET. Trouwens, al zou ik dertien
manen oefenen, dan nog zou ik het niet
zo kunnen overdrijven.

Ik bedoel maar, weet je wat ze nu weer wil?

ZE WIL BALLETDANSERES WORDEN.

O ja. Dat wil ze.

En als ze zoiets in haar heksenhoofd heeft...
Ze wil naar een heuse Andere Kantse

balletschool!

Zeg maar jakkes, zelfs als je niet weet wat een balletschool is. Lees verder en je weet het snel genoeg en dan zeg je driedubbel jakkes.

Ik zal je vertellen hoe we in deze heksenheikele toestand zijn geraakt:

Toen Peleus vertrok, zei ze totaal uitgehekst te zijn. Ze had te veel haar best gedaan mijn oom een goede indruk van haarzelf te geven. (Had ik haar dat gevraagd soms? Nee. Integendeel. Ik had gehoopt dat oom Peleus zou zien dat ze echt niet wil heksen.)

In ieder geval kondigde ze aan dat er maar een ding was waar ze van op zou knappen: shoppen aan de Andere Kant.

Als een oververmoeide, in het zwart geklede,
bejaarde heks slofte ze naar haar kamer, om
even later vol energie tevoorschijn te springen,
gekleed in alles behalve

ZWART.

Ze wilde per se met de auto en niet per bezemsteel. (Nou ja, de auto heeft ook een vliegversnelling dus we komen zonder problemen langs de Horizon.)

Zoals altijd aan de Andere Kant, bereikte ze zonder problemen het maximum van haar Koop-vooral-te-veel-voordeelkaart.

Maar ik kreeg haar mee naar buiten (voor haar kaart GEWEIGERD werd en ze alles TERUG MOEST LEGGEN) door te zeggen dat de auto zou worden weggesleept, want dat doen ze aan de Andere Kant als je parkeerkaartje verlopen is.

Halverwege de parkeerplaats draaide
ik me om en zag dat ze weg was. Ze
stond te staren naar iets in een etalage.

Toen ik terugliep, zag ik dat de
etalage vol hing met frivole jurkjes — wolken
van tule op een paspop — veren dingen voor
om je hals en glinsters en glitters voor in je
haar, glanzende muiltjes, witte en roze, met
en zonder strikken.

En mijn heks stond te
kwijlen.

'O, DR,' zuchtte ze.

'Zoveel moois,

een droom. We moeten vragen

waar dit allemaal voor IS!'

En dat deden we dus, met het

risico dat de auto ondertussen

zou worden

weggesleept!

In de winkel stond een tv waarop Andere Kanters te zien waren die jurkjes aanhadden zoals in de etalage.

Ze huppelden, sprongen, trippelden, liepen op hun tenen, gleden, draaiden en lagen kwijnend in elkaars armen.

Wirwar kwijnde
ook bij het zien
van de
beelden.

'Wat is dat?'
kraaide ze.

De winkeljuffrouw kraaide
terug (ze wist natuurlijk niet dat ze het
tegen een heks had die niet wilde heksen):
'HET ZWANENMEER, natuurlijk, liefje!'

'Oh, ah, oh!' riep HW.

'Hoe kan ik ook het Zwanenmeer doen?'

De winkeljuffrouw keek verbaasd maar
antwoordde: 'Je zou kunnen beginnen bij de
balletschool, lijkt me.'

En dat was dat. Een balletschool, daar
moest ze heen.

Heksenrap kreeg Wirwar alle informatie die
ze nodig had van de winkeljuffrouw. Waar
de dichtstbijzijnde balletschool was, het
telefoonnummer ervan, en hoe je daar op
kon komen (blijkbaar door zo graag een
Zwanenmeerder te worden dat je geen
genoegen nam met NEE).

Tot overmaat van ramp bood de
winkeljuffrouw HW een dvd van het
Zwanenmeer te koop aan, om thuis
te bekijken. En aangezien haar
Koop-vooral-te-veel-
voordeelkaart op was,

MOEST IK IETS GEVEN IN RUIL!

(Ik had alleen een opklap-bezemsteel bij me, voor het geval de auto werd weggesleept.

Nu, die zien we nooit meer terug.)

Eind van het liedje, of begin, was dat ze
vanaf het moment dat we thuis aankwamen

NON-STOP

het ZWANENMEER heeft gekeken.

Sterker nog, ze heeft zojuist de dvd mee
naar bed genomen. Maar dat was nog niet het
ergste, het ergste was dat ik hem
samen met haar moest kijken!

Als ik ook maar heel even stiekem
mijn ogen sloot, brulde ze al:

'DR, moet je kijken,
dit mag je
niet missen!'

Toen ik voorstelde een kopje
smeerwortelthee te maken, riep ze:

'Nee, hee,
dit stukje
MOET je echt zien!'

Ik ken nu het <u>hele</u> Zwanenmeer uit
mijn kop, ik durf niet eens een dutje
te doen. Waarom niet? Wedden dat
ik in mijn droom het Zwanenmeer
dans!

Nacht van de dag met Steil haar, Neptelefoontje en De Wicca's zitten me op de hielen

Lief dagboek,

Mijn angst was terecht. Sinds de vorige keer dat ik schreef, kan ik mijn ogen niet dichtdoen of ik ben een dansende zwaan. En als ik mijn ogen open heb, heeft zij het over ballet en de balletschool!

Vanochtend was het eerste wat ze zei, dat ik een 'Hoe maak ik mijn haar steil-toverdrankje' moest brouwen. Daarmee wilde ze haar warrige heksenpruik omtoveren in een stijlvol ballerinaknotje.

(Saai hoor, zo'n ballerinaknotje!)

Maar, ter informatie,

hier mijn

Haarsteiler

toverdrankje.

HAARSTEILER RECEPT

Een kopje moerasprut
Een kopje kikkerspuug
Twee schepjes geraspte schimmel
Twee gekookte, afgekoelde en
gestampte naaktslakken
Snufje droge rotting
Theelepeltje vochtige rotting

Meng de ingrediënten met een rot ei tot
er een glad mengsel zonder klonten
ontstaat. Goed laten opstijven en dan
in je haar smeren.

Ze heeft me ooit verboden levende ingrediënten voor toverdrankjes te gebruiken.

Dus probeerde ik haar van dit plan af te houden door haar te vertellen over de naaktslakken. Maar het enige wat ze zei, was: 'Voor deze ene keer dan, DR. Ik stop mijn ogen wel even in mijn zak.'

Ze wilde zo graag steil haar hebben, dat ze zelfs twee porties in haar haar smeerde. En dat is nu steil. En zo hard als een plank.

Toen moest ik naar de Andere Kantse Bibliotheek en daar iedereen in slaap toveren, zodat ik voor haar een 'Ballet voor beginners'-boek kon zoeken.

Op de terugweg van deze hachelijke expeditie kwam ik de Geweldig Gewiekste Wicca's tegen.

Je zag zo dat zij de hele nacht kinderen in kikkers hadden omgetoverd, zo blij waren ze! Ze zongen en kako-kakelden, ze lieten hun bezemstelen steigeren. En ze keken niet uit waar ze vlogen. We hadden een bijna-botsing. In een klap waren ze weer de strenge Wicca's.

Ze hadden ons gisteren blijkbaar gezien toen we terugkwamen van de Andere Kant. In Wirwars roze auto, met Wirwar gekleed in alles behalve zwart en de achterbak vol met Andere Kantse spullen.

'In je Heksenhulp-contract staat dat je jouw heks in het heksengareel moet houden,' zei Madam Magia bars.

De andere drie keken me met een doordringende blik aan.

'Een
echte heks
draagt zwart,
vliegt op
een bezemsteel,
en winkelt aan

Deze Kant
bij de
Wicca's heks-het-zelf.'

Ik stond met mijn kattensnuit
vol tanden. Ze had gelijk. En dat wist

IK MAAR AL TE GOED!

'Ik doe echt mijn best,' was al wat
ik kon zeggen. Ik deed een klein
schietgebedje dat het boek 'Ballet
voor beginners' zou blijven zitten
waar het zat.

'Soms...'

'Niks soms!'

krijste Magia.

'Doe meer dan je best of

je weet wat je te wachten staat!'

En of ik dat weet.
Dat kost me een van mijn
negen levens!
Of erger nog, ze sturen me
terug naar Verweggistan.

Toen ze wegvlogen, bedacht ik:
Ik moet Wirwar dat idee van ballet uit
haar hoofd praten. Als de Wicca's
daar lucht van krijgen, dan kan ik
vast gaan inpakken!

Tot zover,
lief dagboek,
ik kom
gigantisch
in tijdnood.

Ik was nog niet goed en wel
binnen of Wirwar rukte het boek 'Ballet voor
beginners' uit mijn poten. Ze rende naar haar
kamer en werkte het door.

Dat is wat je heksen noemt: zo snel
had ze de vijf basisposities en nog veel
meer onder de knie! Ik moest
haar onmiddellijk naar de
dichtstbijzijnde Andere
Kantse telefooncel
brengen, want ze
wilde een
balletschool
bellen!

Wel alle stinkende SOKKEN!

STINKENDE KORTSCHILDKEVER-SOKKEN!

In mijn contract mag dan staan dat ik mijn heks in het heksengareel moet houden, er staat ook dat ik elke gril en elk bevel moet opvolgen.

<u>Wat nu?</u> Ik vloog met haar naar de dichtstbijzijnde telefooncel aan de Blauwe Zwerkweg.

Ik moest, dat viel te verwachten, Ander Kantse munten tevoorschijn toveren om de balletschool te bellen.

Toen dat lukte — Andere Kanters die
langskwamen keken wel een beetje verbaasd —
kreeg ze iemand aan de lijn.

Ze verdraaide haar stem en
sprak met een raar accent.

'Geloof mie, iek heb altied k-k-koud gehad. Maar iek altied heb willen dansen. Iek ben met trans-Sibericus slee, weg, akter mij droom van dansen prinses in Zwanenmeer aan.
Astublief, geef mij k-k-kans. Zek keen Nee. Astublief.'

De Andere Kanters bij de balletschool zijn blijkbaar niet erg snugger.

Ze trapten erin!

Ze kreeg een

dansauditie,

morgen,

hun morgen,

om 10 uur!

Avond van de Auditiedag

Lief dagboek,

De auditie was een **eng dier**
in de nacht, een nachtmerrie! Er was geen
ontsnappen aan!

We gingen langs de Horizon op onze
bezemsteel (de auto wilde niet starten, daar
had ik wel voor gezorgd!). En toen — daar
stond HW op — namen we een Andere Kantse
bus!!! (Niemand komt daar uit de lucht vallen,
DR! En ik wil niet anders zijn, de eerste dag!)

Na onze aankomst verdween ze onmiddellijk
in de meisjes-kleedkamer.

Toen ze er weer uit kwam,
herkende ik haar nauwelijks.

Op blote voeten, met een aan flarden gescheurde jurk en haar gezicht besmeurd met modder.

(Ze wilde er blijkbaar arm en hongerig uitzien, uit een ver en k-k-koud land.)

Het werkte.

Die malle balletschoolman en -vrouw waren ondersteboven.

'Ze is het het meisje met de zwavelstokjes!' gilden ze (wie dat dan ook is).

'Laat maar zien wat je kan!'

Helaas moet ik zeggen dat ze heel wat kon. Ze had, zonder dat ik het wist, niet alleen dat Balletboek voor beginners doorgeworsteld maar ook een balletspreuk gebruikt.

Wat ze haar ook
vroegen, ze danste het.
Na de vijf
basisposities,
raakten ze helemaal
in haar ban.

'Plié in de
eerste!' riepen ze
'Plié in de tweede!
Pirouette!
Pirouette!
Battement tendu!
Rond de jambe,
een, twee, drie!
Heel goed, chérie!'

Maar haar arabesk deed het hem. Ze waren helemaal van de kaart!

Nu heeft mijn heks, die niet wil heksen, een plaatsje op de Andere Kantse balletschool. O wee als de Wicca's hier achterkomen, of ik ben een leven kwijt, of ze koken soep van me, of ik zit zo in Verweggistan.

Soep met kattenballen, brrr.

PS: hier is de Balletspreuk die ik onder haar kussen vond toen ik haar bed onopmaakte.

Benen als elastiekjes
Strek naar links en naar rechts
Armen boven je hoofd
Zwaai naar links en naar rechts
Je lichaam beweegt soepel
Spring naar links en naar rechts
Geen pas die je niet kent
Tenen naar links en naar rechts
Arabesken en pirouettes
Draai naar links en naar rechts
Zeg deze spreuk
Kijk naar links en naar rechts
En voor je het weet
Dans je naar links en naar rechts

(Twaalf keer per dag herhalen,
tot je bent toegelaten.)

De Wicca's krijgen er lucht van-dag

Lief dagboek,

Wel alle <u>stinkende</u> sokken.

STINKENDE KORTSCHILDKERVER-SOKKEN!

De <u>Wicca</u>'s hebben er lucht van gekregen dat
Wirwar naar een balletschool gaat!
Maar laat ik verdergaan waar we waren gebleven.

Toen we vanmorgen bij de balletschool
aankwamen, vertelde het Malle Duo dat ze o,
zo blij waren met HW. Ze maken een heel
speciaal ballet voor haar, voor het einde van
het schooljaar.

Ze waren helemaal opgewonden,
kietelden haar onder haar kin en
kirden: 'O, chérie, jij zult schitteren
als een ster! We weten het zeker,
jij wordt de nieuwe Pavlova!'

'Pavlova?'

schreeuwde Wirwar.
'Hoe kan ik nu een Pavlova
zijn? Ik heb op jullie eetlijsten
gezien dat dat een flubberschuim-
toetje met fruitkots is!'

Daar moest het Malle Duo erg om
lachen, ze kietelden Wirwar nog eens
onder haar kin en zeiden: 'Nee, chérie,
dat dessert is pas veel
later uitgevonden! Wij
bedoelen Anna Pavlova,
een van de beroemdste
prima ballerina's van
de wereld.
Kom op,
aan het
werk!'

Mijn moed zonk me in mijn kattenlaarzen na dat verhaal over Pavlova. Ik kon het niet meer aanzien en sloop weg om thuis nog onop te ruimen.

Als eerste liet ik alle luistervinken weer binnen die Wirwar had laten vliegen, toen ging ik op zoek naar levende toverspreukingrediënten voor onze lege voorraadpotten. Daarbij kwam ik de geweldig Gewiekste Wicca's, Toos Goocheldoos en Rochelle Rochelpot, tegen.

Ik kwam erachter dat zij erachter zijn gekomen!

'Deughniet
Vloecksoecker
Ramses R.,'
zei Rochelpot. 'Wat stel je ons
teleur. Het is nog maar een gisteren geleden
dat we je waarschuwden en nu DIT!
Goocheldoos, vertel hem wat we zagen!'

Goocheldoos vertelde het me: toen ze langs
de ramen van een Andere Kantse balletschool
vlogen, zagen ze HW 'huppelend in een rare
maillot en een niets verhullend lapje om
haar lichaam, dansend met een
J.O.N.G.E.N, oftewel jongen'.

Ze kolkten en kookten, en ik hield
wijselijk mijn snuit. Ik zag ze denken
terwijl ze kolkten en kookten:

'Deze heksenhulp gaat
een, twee, hupsakee terug naar

naar Verweggistan,

als dit zo

door

gaat.'

Dus ik moest met iets goeds
komen en dat deed ik. BRILJANT
zelfs, al zeg ik het zelf. Ik zei: 'Ze is
naar die balletschool gegaan om te
werken, om te kijken of ze kinderen in
kikkers kan omtoveren...'

Ze leken me te geloven, maar — een hele
grote <u>maar</u> — ze komen morgenochtend <u>zelf</u>
naar de school om te kijken hoe
Wirwar dat aanpakt.

Dus voor die
tijd moet ik:

1 Wirwar ervan overtuigen dat
ze geen Pavlova is en dat ze kinderen
in kikkers moet omtoveren.

OF

2 Als ze dat niet doet — en dat ligt
voor de hand want ze heeft met veel van de
kinderen al vriendschap gesloten — dan zal
ik het zelf moeten doen.

Ik moet er nu vandoor, HW
ophalen en haar ervan weerhouden
met haar nieuwe vrienden, die
allemaal de nieuwe Pavlova (niet
het dessert maar de ballerina)
willen zijn, iets te gaan
drinken na de balletles.

Slechte start voor mijn plan-dag

Lief dagboek,

Terwijl ik Wirwars pijnlijke voeten masseerde, deed ik een poging haar mijn plan uit de doeken te doen. Maar ik kreeg er bijna geen woord tussen.

Ze kreunde: 'Au...

Wat een slavendrijvers. "Tenen naar buiten, knie gestrekt, draai afmaken, kont omhoog... goed zo, nog een keer!" Slavendrijvers! Ik ben zo moe dat ik niet eens een spreuk kan verzinnen om me in een beroemde prima ballerina om te toveren.'

Van die ene seconde dat zij ademhaalde, maakte ik gebruik om haar te vertellen dat ze beter helemaal geen Pavlova kon worden. Dat ze er beter mee op kon houden, bijvoorbeeld morgen na balletles. Dat het, voor ze ermee ophield, wel leuk zou zijn om al die andere 'nieuwe Pavlovaatjes' in kikkers om te toveren. Al was het maar om te kijken of ze echt een echte heks kon zijn als ze maar wilde.

Dat viel niet in goede aarde.

'Ben je gek geworden?'

krijste ze. 'In kikkers omtoveren?
Ophouden met ballet?
Morgen begin ik met
repeteren voor mijn
eigen voorstelling.
Morgen is de eerste dag
van de rest van mijn leven!'

O, potverkikkerme, wat nu?

Ik verklapte dat 'morgen' de Wicca's naar school zouden komen, onzichtbaar, om te zien of ze de kinderen echt in kikkers omtoverde. En zo niet, dat ze soepballetjes van me wilden maken en me wilden terugsturen naar Verweggistan. Dus vergeet dat ballet en tover die kinderen in kikkers om!

Dat viel ook al niet in goede aarde.

Ze bleef weigeren haar nieuwe beste vrienden in kikkers om te toveren, voor niets in het universum. Niet voor mij, niet voor NIEMAND.

Ik smeekte, maar tevergeefs.

'Dit moet je zelf maar oplossen, DR. Hou de Wicca's tegen voordat ze in de balletschool zijn!'

Al mijn talent en training ten spijt, ik zou niet weten hoe je ONZICHTBARE Gewiekste Wicca's moet tegenhouden.

Er zit niets anders op dan dat ik die kinderen zelf maar betover... Ik geloof dat ik een plan heb!

Ik ga eerst maar eens een paar kikkers vangen, van die lekkere dikke!

Puistige Padden Prijs-stuip en
Wirwar 'betovert' een Heksenkring-dag
— ver na middernacht

Lief dagboek,

Wat een dag, wat een avond! Maar laat ik
bij het begin beginnen.

Ik zei toch dat ik kikkers ging vangen? Dus
dat deed ik. Het was hard werken, maar bij
zonsopkomst had ik een zak vol dikke
slijmerige kikkers.

Ik sprak een hartig kikkerwoordje
met ze en vertelde dat als ze niet
meededen, ze als levend ingrediënt in een
toverdrankje zouden eindigen.

De dikste, slijmerigste kikker zei: 'Je kunt
ons nog meer vertellen! We weten heus
wel dat jij voor de beroemde Anti-
levende-ingrediënten-heks werkt,
Heksje Wirwar. Zij doet nooit

iets levends in
haar toverdrankjes!'
'Wacht maar af, wel
als het haar van pas komt,'
blufte ik. 'En als jullie niet doen
wat ik wil, geef ik jullie aan
mijn vriend Gribus.'
  Dat maakte indruk! De heks van
Gribus is gek op kikkerbilletjes en
iedereen weet dat.

'Oké,' kwaakten ze,
'jij wint, wat moeten
we doen?'
Ik vertelde wat ik
van plan was. Gelukkig
wilden ze wel helpen,
sommigen waren zelfs
enthousiast. Ze kropen
terug in de zak, klaar voor
de balletschool.
Vervolgens ging ik op zoek naar een
bezemsteel, maar toen ik terugkwam, hoorde
ik ineens Wirwar bazelen.
Ze was gestruikeld over de zak kikkers en
had ze weer vrijgelaten:
'Hup, hup, wegwezen jij!
Pas op dat de buurheks je niet in
haar wrattige klauwen krijgt!'
'Wat nu?'
vroeg ik me af.
Ik moest...

Lief dagboek,

Sorry, ik ben zomaar midden in een zin in slaap gevallen.

Waar was ik ook alweer?

O, ja,

ik probeerde te bedenken wat ik moest doen.

En ik bedacht helemaal

NIETS.

Toen niet, want ik viel in slaap

en niet tijdens de busrit naar de balletschool.
Wirwar bleef maar babbelen, dwars
door mijn gedachten heen, over hoe
geweldig haar eigen balletvoorstelling
zou zijn.

Nadat we waren aangekomen, was HW het haar beenwarmers aan het aantrekken toen het Malle Duo haar riep.

'Chérie,' zeiden ze, 'jouw ballet is klaar. Vandaag gaan we repeteren. Het is, natuurlijk,

'Het meisje met de zwavelstokjes',

dat beroemde sprookje. Jij hebt de hoofdrol.'

'O ja?' vroeg Wirwar gretig. 'En wat, eh ik bedoel, wot is die ferhaal?'

Het Malle Duo was verbaasd dat ze dat niet wist, maar vertelden haar het verhaal toch.

'Het is het verhaal van een arm meisje. Ze heeft geen geld voor schoenen en loopt blootsvoets in de sneeuw. Ze heeft het zo koud dat ze de zwavelstokjes die ze moet verkopen aansteekt om het een beetje warm te krijgen. In het licht van de stokjes ziet ze mooie beelden. Het laatste beeld dat ze ziet is van haar overleden oma, de enige die ooit echt van haar heeft gehouden. De volgende ochtend ligt ze doodgevroren op de straat, maar ze stierf gelukkig want ze ging naar haar oma.

Kijk, hier is...
Madame Petrovsky,
zij maakt onze kostuums.'

64

Op dat moment gebeurden
er twee dingen. Er ging een raam
open en op een windvlaag kwamen
de vier Wicca's binnen. Ze waren
voor iedereen onzichtbaar, behalve
voor goed opgeleide
heksenhulpen zoals ik.
Ik zag ze en ik hoorde ze.

Ze ploften neer in een paar stoelen en tuurden naar HW, in afwachting van het kinderen in kikkers omtoveren spektakel.

Op dat moment hield Madame Petrovsky HW's gescheurde meisje-met-de-zwavelstokjes-kostuum omhoog.

Toen HW dat zag, verschoot ze van kleur: ze werd wit, groen en pimpelpaars. Nu was ik het zo gelukkig als het meisje met de zwavelstokjes, omdat ik wist dat na wit-groen-pimpelpaars een heuse heksenstuip volgde. En als heksenstuip won deze de Puistige Padden Prijs, wat een mooie!

Ze krijste: 'Wat, ik moet in die vodden dansen? Zulke vodden had ik aan toen ik hier kwam, die droeg ik in k-k-koud Sibericus ook al. Mooi niet! Ik wil veren en frivole boa's! Ik wil glitter en glans, prinsessenkroontjes!'

De stuip kwam nu goed op gang en ze was weer even wat ze echt is: een heks, en ze steeg op met een donderslag.

De Wicca's keken verheugd toe terwijl Wirwar het liet donderen en bliksemen.

De kleine Pavlovaatjes renden alle kanten op. Maar Wirwar was niet te stoppen. Ze gebruikte een

LAAT-VOORWERPEN-
TOT-LEVEN-
KOMEN
SPREUK.

Alle kostuums gleden van hun hangertjes en zweefden als spoken zonder hoofd of benen door de ruimte.

Decorstukken kwamen tot leven, geschilderde rozen kregen doornen. Houten tafels en stoelen pakten hun biezen en renden achter de kleine Pavlovaatjes aan. Spiegels namen hun spiegelbeelden in de maling,

zo erg, dat ook zij

gillend wegrenden.

De Wicca's waren dik tevreden, dit was nog beter dan kinderen in kikkers omtoveren! Tevreden klommen ze op hun bezemstelen en vlogen huiswaarts.

Alleen Toos Goocheldoos bleef even achter en fluisterde: 'Goed gedaan, Deughniet. Ik zie je bij de Heksenkring vanavond. Ik hoop dat Wirwar een goede toespraak houdt!' Op dat moment, toch een moment van overwinning, kon ik alleen maar denken: jakkes, jakkes,

JAKKES, DRIE-DUBBEL JAKKES!!!

Ik was zo druk geweest met die
balletschool dat ik de Heksenkring
helemaal vergeten was.

Heksje Wirwar wist niet eens waar
ze haar toespraak over wilde houden,
laat staan dat ze er al een geschreven
had.

Maar toen, zeg maar gewoon dat ik een
koele kat ben, kreeg ik
een geniale inval.

Natuurlijk, daar
zou haar toespraak
over gaan:

HOE JE EEN KLAS VOL
PAVLOVAATJES
DE SCHRIK VAN HUN LEVEN
BEZORGT - GEBASEERD OP
EIGEN ONDERZOEK
DOOR HEKS
WIRONI WARWARA.

Het schrijven zou geen probleem zijn, dat kon ik wel doen. HW zo ver zien te krijgen dat ze de toespraak zou houden, was andere koek.

Maar toen kreeg ik nog een giga-geniale inval, en die vertel ik je zo.

Eerst pakte ik de opklapbezemsteel die ik in HW's ballettas had gestopt. Ik vloog naar Wirwar en toverde haar onzichtbaar met mijn beproefde 'Zo zie je haar – zo zie je haar niet'-spreuk. Die leert iedere heksenhulp in de eerste klas.

Zorg dat het briest, doordat je 7x niest.
Leg een krul in je koene kattensnor en zeg:

Het is voor je eigen bestwil
dat je even onzichtbaar bent.
Zodat niemand je kan zien
of je nog maar herkent.
Geen arm of been,
geen vinger of teen.
Geen stukje vel
zie je wel.
Geen enkele haar,
het is klip en klaar,
zie je nog echt
als deze spreuk is gezegd

Onzichtbaar voor iedereen behalve voor mij, greep ik haar en verstopte haar onder een rondzwevend Zwanenmeer-Prinsessen-Kostuum.

Voor je met je ogen kon knipperen, vlogen we naar buiten door het raam dat de Wicca's open hadden gelaten. Op naar huis!

Gelukkig voor mij is onzichtbaar zijn erg uitputtend. Dus toen we thuis aankwamen en ik de 'Zo zie je haar niet-zo zie je haar wel'-spreuk had uitgesproken, dezelfde spreuk maar dan achterstevoren... viel HW voor de tv in slaap.

Daar had ik op gerekend.

Terwijl zij sliep, schreef ik haar toespraak voor de Heksenkring. En ook al zeg ik het zelf,

het was een

meesterwerkje.

Nu moest ik haar alleen nog wakker maken en ervan overtuigen dat ze deze toespraak moest voorlezen! Dat was geen peulenschil! Ik had alleen nog maar de titel voorgelezen of ze zei al nee.

'Dat zijn mijn vrienden, DR. Die zou ik nooit in kikkers omtoveren en zeker niet zo laten schrikken. Dat wilde ik helemaal niet. Dat kwam omdat ik zo teleurgesteld was toen ik dat verschrikkelijke vod van een kostuum zag dat ze me wilden laten dragen. Dus ik zeg het nog een keer:

<u>Nee!</u>

En teruggestuurd worden naar Verweggistan is geen reden om deze toespraak te houden!'

(Zij heeft makkelijk kletsen.)

Maar toen, en dit is het
GIGA-GENIALE
deel van mijn plan waar ik het
over had, liet ik haar het
kostuum zien, het
Zwanenmeer-Prinsessen-
Kostuum dat ik mee had
genomen.

Haar toverspreuk die
het tot leven had
gebracht, was
uitgewerkt. Het
leefde geen eigen
leven meer. Het was
weer gewoon een
kostuum, klaar om te worden gedragen.
Ik zwaaide er verleidelijk mee heen en weer.
'Weet je het zeker?'
vroeg ik uitdagend.
'Ook niet als je dit kunt dragen tijdens
je toespraak?'

Wat een domme vraag!

Ze sprong een gat in de
sterrenhemel en wist
niet hoe snel ze
het kostuum aan
moest trekken
of naar de
heksenkring
moest gaan.

Er was nog een klein
pietepeuterig probleempje, hoe
moest ik dit nu weer aan de Wicca's
uitleggen?
Maar wat bleek: dat was niet nodig.
Ze waren zo onder de indruk geweest
van het balletschoolavontuur dat ze

het <u>mij</u>

uitleg<u>d</u>en!

'Natuurlijk moet ze haar toespraak in een heus balletkostuum houden, DR,' zei Magia. 'Anders snapt het publiek het toch allemaal niet! Ze weten niet wat ballet is of een balletschool, laat staan Pavlovaatjes zoals jullie ze noemen... Misschien kan Wirwar wat dingetjes laten zien die ze daar geleerd heeft, of denk je dat ze dat niet wil?'

Zo kon
Wirwar
toch nog het
Zwanenmeer dansen
en een demonstratie
geven van de vijf
basisposities, de plié, de arabesk,
en dat op een heuse Heksenkring
nog wel. En dat allemaal omdat de
Geweldig Gewiekste Wicca's er zelf
om hadden gevraagd!

Daarna las ze haar/mijn briljante
toespraak voor.

Ik denk niet dat ik overdrijf als ik zeg dat ze iedereen met haar optreden 'betoverde'.

Zelfs de Wicca's klapten stevig mee bij de staande ovatie en lieten haar door een puistige pad een mooie bos distels overpotigen.

Er was slecht een klein minpuntje. Oom Peleus was er ook! Hij kwam me na afloop feliciteren met mijn echte heks van een heks. Mijn heks die roze balletpakjes had moeten dragen om onderzoek te doen naar nog betere hekserij.

Ik stond met mijn kattensnuit vol Tanden. Wat ik natuurlijk had moeten zeggen, was:

'OOM PELEUS, U MOEST EENS WETEN!'

Stel je voor: HW heeft besloten dat je toch wel ERG hard moet werken als je een prima ballerina wilt worden... mooi zo!

Tegenwoordig danst ze in haar Zwanenmeer-Prinsessen-Kostuum voor de badkamerspiegel en is daar tevreden mee. En hopelijk is ze dat ook snel zat.

Over het zat zijn gesproken, ik ben wel aan een dutje toe,

en dan niet zo'n

kleintje ook.

NUTTIGE UITLEG VAN DINGEN
DIE JE ALS DAGBOEK
NIET KUNT WETEN

MOPERASPRUT

Waterige smurrie,

slijmerig en snotterig.

KIKKERSPUUG,

KIKKERSPOG, KIKKERDRIL

Een wriemelende kluit eitjes

(normaal gesproken van kikkers).

SCHIMMEL

Een kluitje pietepeuterige-paddenstoeltjes

DROGE ROT

Pietepeuterige-paddenstoeltjes

die rotten van binnenuit.

VOCHTIGE ROT
Pietepeuterige paddenstoeltjes
die rotten van buitenaf.

HEKSENHULP-CONTRACT
Dat wat je voor jouw heks moet doen (en laten)
en wat je ervoor terugkrijgt (of niet).

DE VIJF BASISPOSITIES
De vijf basispassen die iedere ballerina zelfs
in haar slaap moet kunnen.

PLIÉ (plie-jee)
Franse naam voor een buiging van de knieën,
of heupen en knieën, waarbij de voeten
naar buiten wijzen (au) zonder
om te vallen.

BATTEMENT TENDU (batteman tanduu)
Franse naam voor een glijdende beweging
van de voet, van hier naar daar zonder ook
maar een teen op te tillen, en beide knieën recht.
(Lijkt gemakkelijk, maar probeer het maar eens!)

ROND DE JAMBE (ron de sjambe)
Franse naam voor het draaien van de benen,
EN TERRE = op de grond,
of EN L'AIR = in de lucht.

CHERIE (sjerrie)
Frans, betekent liefje.

ARABESK
Op één been staan, andere been recht naar achteren en evenwijdig aan de vloer.

PIROUETTE (PIROE-ET)
Franse naam voor een rondje op één voet, zonder om te vallen (ja, ja).

HEKSENKRING
Vergadering van heksen om ideeën en spreuken uit te wisselen, alles in het belang van betere hekserij. Meestal met toespraken en de uitreiking van de Puistige Padden Prijs.

WAT EEN HEKS TOT EEN ECHTE HEKS MAAKT - LIJST

1. Tover minstens een Andere Kants kind om in een kikker – iedere dag (uitmuntend), eens per zeven dagen (goed), eens per maan (gemiddeld), eens per twee manen (slecht), een doodenkele keer (onvoldoende).

2. Speur volwassen Andere Kanters op die als kind nooit in een kikker werden omgetoverd en doe het alsnog. (Beter laat dan NOOIT)

3. Bedenk een nieuwe toverspreuk die altijd voor van alles en nog wat goed is. Zorg ervoor dat jij of jouw heksenhulp die noteert in een Toverspreukenboek voordat de spreuk verdwijnt naar het Rijk van de Eeuwige Vergetelheid.

4. Zorg voor een Heuse Heksen Huishouding, dat wil zeggen: overal spinnen, spinrag en stof. Het liefst hier en daar een paar loslopende oorwormen. De glazen potten met vaak nog levende 'toverspreukingrediënten' moeten altijd goed gevuld zijn, klaar voor gebruik.

5. Kakel je heksenlach vooral luid en duidelijk, en zo mogelijk altijd en overal. Heksenlachen, kako-kakelen, jaag Andere Kanters schrik aan, hihihi. Heksenlachen, kako-kakelen, laat andere Wicca's weten waar je bent.

6. Zorg ervoor dat je heksenhulp je wagenpark (lees bezems) goed verzorgt door ze regelmatig te snoeien en uit te laten (een paar rondjes vliegen per dag moet genoeg zijn).

7. Vertoon je altijd en overal in je complete heksenuitmonstering (alles zwart en nooit, maar dan ook NOOIT lintjes en strikjes). Slapen in heksenkostuum is toegestaan om zo aankleedtijd te winnen.

8. Zorg ervoor dat je Heksenhulp zoveel Slijmballen te eten heeft als hij op kan. Vergeet niet: achter elke Gewiekste Wicca staat een weldoorvoede Heksenhulp.

9. Zorg vooral dat de Geweldig Gewiekste Wicca's tevreden zijn over jouw gedrag. Je weet het, ze zien en weten alles, dus pas goed op met wat je doet of laat!

HEKSENHULP CONTRACT

tussen:

Heks WIRONI WARWARA, kortweg Heksje Wirwar, H.W. op zijn allerkortst

van 13 Schoorstenen, Oost-Kollendam

&

Heksenhulp

DEUGHNIET VLOECKSOECKER RAMSES R., kortweg Deughniet, D.R. op

zijn allerkortst

Hierbij wordt overeengekomen dat:

Al dampt het VUUR, de ZWAVEL of de HEKSENKETEL,

al komt een leger MARSHEKSEN onze dampkring binnenvallen,

DE VOLGENDE 7 JAAR zal

D.R. het hulpje zijn van H.W.

ELKE GRIL EN ELK BEVEL van haar opvolgen

en haar als een echte HEKS laten HEKSEN

BELONING voor bewezen diensten:

* een mand om in te slapen * zoveel slijmballen als hij op kan

* vrij gebruik van H.W.'s bezemsteel (buiten spits-vlieguren)

en een gebroken spiegel voor geluk.

De STRAF voor het niet voldoen aan alle gestelde eisen zal worden vastgesteld

tijdens DE HEKSENKRING van HOGEROP.

GETEKEND EN VASTGELEGD,

Nieuwe Maandag, de 22e van Heksember

Wirwar

Heksje Wironi Warwara

Deughniet

Deughniet Vloecksoecker Ramses R.

Toos Goocheldoos

Getuige: de Geweldig Gewiekste Wicca, Toos Goocheldoos

Een uitgave van
Uitgeverij Randazzo & Bannier B.V.,
Ootmarsum, en Uitgeverij Bakermat
(Baeckens Books NV), Mechelen

ISBN 978 90 8919 009 3   NUR 282
ISBN 978 90 5461 598 9   D/2008/6186/19

Oorsponkelijke uitgave: Orchard Books
Londen, Engeland
Oorspronkelijke titel: Rumblewick's Diary
My Unwilling Witch goes to ballet school
© 2007 tekst Hiawyn Oram
© 2007 illustraties Sarah Warburton
© 2008 Nederlandse vertaling
Uitgeverij Randazzo & Bannier B.V.

Gedrukt in China
Opmaak: Sandra Kok, Amsterdam

Voor Kate B, veel
liefs en dankjewel
H.O.

Voor Lucy
S.W.

Dit is een van de dagboeken van mijn heksenhulp,
Deughniet. Hij heeft er een heleboel geschreven. En ja, die
heb ik allemaal gestolen en aan een uitgever gegeven. Zodat
zij er mooie, en vooral ook leuke, leesboekjes van kon maken.
Bij deze serie hoort ook een groot boek met heel veel
plaatjes. Daarin staan de brieven die Deughniet en zijn oom
Peleus aan elkaar hebben geschreven. Deughniet vraagt hem
om raad: het is blijkbaar niet makkelijk om mijn heksenhulp
te zijn... ik ben wel een heks, maar wil eigenlijk helemaal
niet heksen. Ballet, dat wil ik graag! Of een meidengroep
beginnen, ja!

Misschien heb je nog maar net leren lezen of zijn er niet zo
veel boekjes die je leuk vindt, omdat er alleen maar saaie
zwarte lettertjes in staan. Nou, deze dagboeken zijn gewoon
heel leuk en er staan ook nog eens heel veel tekeningen in.
Dus je zult ze ALLEMAAL vast met veel plezier lezen.

Klapzoen, *Heksje Wirwar*

ISBN NL 978 90 8919 009 3
ISBN BE 978 90 5461 598 9

ISBN NL 978 90 8919 007 9
ISBN BE 978 90 5461 596 5

ISBN NL 978 90 8919 005 5
ISBN BE 978 90 5461 588 0

ISBN NL 978 90 8919 008 6
ISBN BE 978 90 5461 603 0

ISBN NL 978 90 8919 006 2
ISBN BE 978 90 5461 600 9